Reflexion

1. ¿Dónde almuerzan [illegible] y Karina?
2. ¿Qué hace Humberto al principio?
3. ¿Qué hace Karina al final?
4. ¿En qué se parece el almuerzo de los niños? ¿En qué se diferencia?
5. ¿Qué te gustaría hacer en un almuerzo en el campo?

Un almuerzo en el campo Organiza un almuerzo en el campo con un amigo. Haz una lista de todo lo que necesitas llevar. En otra lista anota cosas divertidas para hacer ese día.

La escuela y la casa Pregunta a tu familia qué comida llevaría a un almuerzo en el campo. Comenten cómo se prepara.

Total de palabras: 182

ISBN 0-15-323933-6

90000>

9 780153 239335

UN ALMUERZO EN EL PARQUE

por Meish Goldish
ilustrado por Ilene Richards

Harcourt

Orlando Boston Dallas Chicago San Diego

Visita *The Learning Site*
www.harcourtschool.com

Kiri, Humberto y Karina van a compartir su almuerzo. Es un día estupendo para ir al parque.

—¿Qué habrá en mi canasta?
—¿Quién tiene hambre?
—En aquella mesa no hay nadie.

Humberto tiene tortillas de México. Sobre la tortilla se pone queso y luego hay que enrollarla.

Humberto corta la tortilla. Así habrá para los otros también.

—¡Gracias, Humberto! ¡Caramba, qué rico!

El almuerzo de Karina se hace con pan de India. Luego también hay que enrollarlo.

Karina comparte su almuerzo. Así habrá para los otros también.

—¡Gracias, Karina! ¡Caramba, qué rico!

Kiri fue el último. ¿Qué será su almuerzo? Tiene pan de Egipto. Éste no se enrolla, sin embargo, ¡tiene un bolsillo!

Kiri lo parte. Así habrá para los otros también.

—¡Gracias, Kiri! ¡Caramba, qué rico!

Entre todos terminaron el almuerzo muy contentos. Luego Humberto fue a buscar una fuente.

Humberto se encontró a su hermana. Ella también almorzó hoy en el parque. ¡Tiene una piñata!

Humberto toma impulso y
rompe la piñata. ¡Qué suerte!
Karina toca una melodía y Kiri
la acompaña con una danza.